Alfred Schnittke

Variationen über einen Akkord
Variations on a Chord

für Klavier
for piano

edition sikorski 8883

Variationen über einen Akkord
Variations on a Chord

für Klavier / for piano

(1965)

Alfred Schnittke
(1934-1998)

H.S. 8883

4

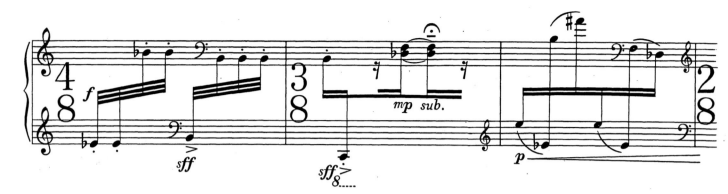

Andante

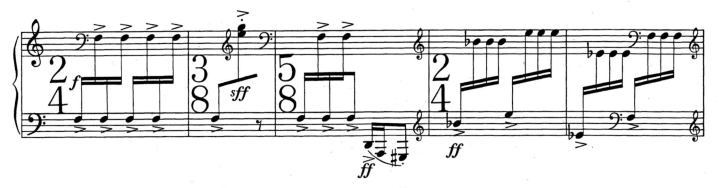

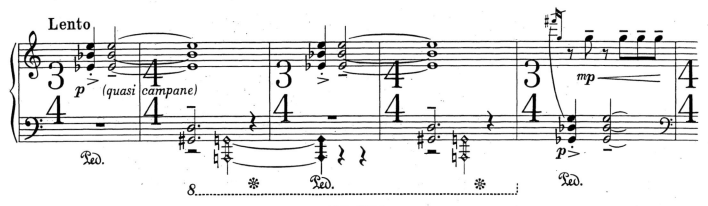

ISMN 979-0-003-04265-7

DISTRIBUTED BY
HAL LEONARD

50602265